커피 향이 가득한 공간,
그곳은 단순히 음료를 즐기는 곳을 넘어
일상의 작은 쉼표가 되는 장소입니다.
각기 다른 취향과 이야기들이 모여드는 카페는
사람들의 일상 속에 깊이 스며들어 있습니다.
이번 일러스트북에서는 그런 카페의
다채로운 매력 속으로 여러분을 초대합니다.

이 책에는 특별한 순간을 더욱 빛나게 해주는
맛있는 카페 메뉴들이 아름다운 일러스트와 함께 담겨 있습니다.
부드러운 커피와 화려한 디저트, 그리고 따뜻한 티타임을
즐길 수 있는 다양한 메뉴들을
한 장 한 장 넘길 때마다 감상할 수 있습니다.
각 메뉴는 저마다의 이야기를 가지고 있으며,
그림 속에는 그 향과 맛이 고스란히 녹아 있습니다.

이 책을 통해 여러분도 카페에서 느꼈던
따뜻한 기억들과 작은 행복들을 다시 떠올리길 바랍니다.
한 페이지 한 페이지가 여러분의 일상에
작은 즐거움과 여유를 더해줄 수 있기를 바랍니다.

그럼, 커피 한 잔의 여유와 함께
일러스트북의 여행을 시작해 보세요.

딜리셔스 카페
일러스트북

<커피 메뉴>

아메리카노

깔끔하고 깊은 커피의 맛을 즐길 수 있는 아메리카노.
에스프레소 샷에 뜨거운 물을 더해 부드럽게 즐길 수 있습니다.
커피 본연의 향과 맛을 느끼기에 좋은 메뉴입니다.
간단한 베이커리와도 잘 어울립니다.
카페인의 깔끔한 활력을 원할 때 추천합니다.

재료: 에스프레소 샷, 뜨거운 물
만드는 방법:
에스프레소 머신으로 에스프레소 샷을 추출합니다.
컵에 에스프레소 샷을 붓고, 뜨거운 물을 추가합니다.
요리 꿀팁: 물의 양을 조절하여 원하는 농도를 맞추세요.

카페라떼

에스프레소와 스팀 밀크가 어우러진 부드러운 커피.
부드럽고 크리미한 맛이 특징입니다.
우유의 달콤함이 커피의 쓴맛을 중화시켜줍니다.
라떼 아트로 시각적인 즐거움도 느낄 수 있습니다.
아침 식사와 함께 하기 좋은 메뉴입니다.

재료: 에스프레소 샷, 스팀 밀크
만드는 방법:
에스프레소 머신으로 에스프레소 샷을 추출합니다.
스팀 밀크를 준비합니다.
에스프레소 샷에 스팀 밀크를 부어줍니다.
요리 꿀팁: 라떼 아트를 시도해보세요. 거품을 잘 만들어야 합니다.

카푸치노

에스프레소, 스팀 밀크, 그리고 풍성한 거품의 조화.
커피의 진한 맛과 우유의 부드러움이 완벽하게 어우러집니다.
거품의 텍스처가 입안에서 기분 좋은 감촉을 줍니다.
계피가루를 살짝 뿌려서 향을 더할 수도 있습니다.
아침과 오후 어느 때나 즐기기 좋습니다.

재료: 에스프레소 샷, 스팀 밀크, 밀크 폼
만드는 방법:
에스프레소 머신으로 에스프레소 샷을 추출합니다.
스팀 밀크를 준비합니다.
에스프레소 샷에 스팀 밀크와 밀크 폼을 순서대로 부어줍니다.
요리 꿀팁: 거품이 풍성하게 올라오도록 스팀을 잘 이용하세요.

마키아토

에스프레소에 약간의 우유 거품을 얹은 간단한 커피.
에스프레소의 진한 맛을 살리면서도 부드러운 마무리를 줍니다.
작지만 강렬한 한 잔으로 카페인의 충전을 원할 때 좋습니다.
카라멜 마키아토는 단맛을 더한 인기 변형입니다.
소량으로 커피의 맛을 깊이 느끼고 싶을 때 좋습니다.

재료: 에스프레소 샷, 약간의 우유 거품
만드는 방법:
에스프레소 머신으로 에스프레소 샷을 추출합니다.
우유를 데워서 약간의 거품을 만듭니다.
에스프레소 샷에 우유 거품을 살짝 얹습니다.
요리 꿀팁: 우유 거품을 너무 많이 넣지 않도록 주의하세요.

플랫 화이트

에스프레소와 스팀 밀크가 어우러진 부드러운 커피.
카페라떼보다 우유의 양이 적고 커피 맛이 더 진합니다.
우유의 크리미한 맛이 강조되어 있습니다.
간단한 베이커리와 잘 어울리는 메뉴입니다.
커피와 우유의 조화로움을 즐기고 싶을 때 추천합니다.

재료: 에스프레소 샷, 스팀 밀크
만드는 방법:
에스프레소 머신으로 에스프레소 샷을 추출합니다.
스팀 밀크를 준비합니다.
에스프레소 샷에 스팀 밀크를 부어줍니다.
요리 꿀팁: 카페라떼보다 우유의 양을 적게, 커피 맛을 더 강조하세요.

모카

에스프레소, 초콜릿 시럽, 스팀 밀크의 조합으로 달콤한 커피.
커피와 초콜릿의 조화가 환상적입니다.
휘핑크림을 얹어 더욱 풍부하게 즐길 수 있습니다.
디저트처럼 달콤한 커피를 원할 때 좋습니다.
오후에 기분 전환용으로 즐기기 좋은 메뉴입니다.

재료: 에스프레소 샷, 초콜릿 시럽, 스팀 밀크, 휘핑크림 (선택 사항)
만드는 방법:
에스프레소 머신으로 에스프레소 샷을 추출합니다.
컵에 초콜릿 시럽을 넣고 에스프레소 샷을 붓습니다.
스팀 밀크를 추가합니다.
휘핑크림을 얹어 마무리합니다.
요리 꿀팁: 다크 초콜릿 시럽을 사용하면 더욱 진한 맛을 즐길 수 있습니다.

에스프레소

커피 본연의 진한 맛을 느낄 수 있는 한 잔.
짧지만 강렬한 커피의 풍미를 제공합니다.
아침이나 점심 식사 후 마무리로 좋습니다.
커피 애호가들이 즐겨 마시는 기본 메뉴입니다.
각종 커피 음료의 베이스로 사용됩니다.

재료: 에스프레소 원두
만드는 방법:
에스프레소 머신으로 에스프레소 샷을 추출합니다.
요리 꿀팁: 신선한 원두를 사용하여 최고의 맛을 느껴보세요.

콜드 브루

찬물로 오랜 시간 동안 추출한 커피로 부드럽고 깔끔한 맛이 특징.
산미와 단맛이 조화롭게 어우러집니다.
얼음을 더해 시원하게 즐길 수 있습니다.
여름철에 특히 인기가 많습니다.
커피의 원두 향을 깊이 느낄 수 있는 메뉴입니다.

재료: 에스프레소 원두
만드는 방법:
에스프레소 머신으로 에스프레소 샷을 추출합니다.
요리 꿀팁: 신선한 원두를 사용하여 최고의 맛을 느껴보세요.

아포가토

바닐라 아이스크림 위에 에스프레소를 부어 즐기는 디저트 커피.
아이스크림의 달콤함과 커피의 쓴맛이 완벽하게 어우러집니다.
간단하지만 특별한 디저트로 인기입니다.
뜨거운 커피와 차가운 아이스크림의 조화가 매력적입니다.
특별한 날이나 기분 전환용으로 좋습니다.

재료: 에스프레소 샷, 바닐라 아이스크림
만드는 방법:
바닐라 아이스크림을 컵에 넣습니다.
에스프레소 샷을 아이스크림 위에 부어줍니다.
요리 꿀팁: 아이스크림을 살짝 녹여서 먹으면 더욱 맛있습니다.

프라푸치노

블렌더로 섞은 아이스 커피와 우유, 그리고 다양한 토핑의 조합.
커피와 아이스크림의 중간쯤 되는 맛과 텍스처입니다.
휘핑크림과 초콜릿 시럽 등으로 더욱 풍부하게 즐길 수 있습니다.
더운 날 시원하게 즐기기 좋습니다.
다양한 맛 변형이 가능합니다.

재료: 에스프레소 샷, 우유, 얼음, 시럽 (선택 사항), 휘핑크림 (선택 사항)
만드는 방법:
블렌더에 에스프레소 샷, 우유, 얼음을 넣고 섞습니다.
컵에 붓고 휘핑크림과 시럽을 얹어줍니다.
요리 꿀팁: 초콜릿 칩이나 카라멜 소스를 추가하면 더욱 풍부한 맛을
즐길 수 있습니다.

<차 메뉴>

얼그레이 티

베르가못 오일로 향을 낸 블랙 티.
우아하고 은은한 향이 특징입니다.
우유나 레몬과 함께 즐길 수 있습니다.
오후의 티타임에 잘 어울립니다.
마음을 진정시키는 효과가 있습니다.

재료: 얼그레이 티백, 뜨거운 물, 우유 또는 레몬 (선택 사항)
만드는 방법:
티백을 컵에 넣고 뜨거운 물을 붓습니다.
3-5분간 우려낸 후 티백을 제거합니다.
우유나 레몬을 추가합니다.
요리 꿀팁: 티백을 너무 오래 우려내면 쓴맛이 날 수 있습니다.

차이 티

인도 전통 향신료와 홍차의 조합.
계피, 정향, 생강 등의 향신료가 특징입니다.
우유와 설탕을 더해 라떼로 즐기기 좋습니다.
따뜻하게 또는 아이스 차이로 즐길 수 있습니다.
향신료의 따뜻한 풍미가 매력적입니다.

재료: 차이 티백, 뜨거운 물, 우유, 설탕 (선택 사항)
만드는 방법:
티백을 컵에 넣고 뜨거운 물을 붓습니다.
5분간 우려낸 후 티백을 제거합니다.
우유와 설탕을 추가합니다.
요리 꿀팁: 직접 향신료를 넣고 끓여 마시면 더욱 진한 맛을
즐길 수 있습니다.

그린 티

신선한 녹차 잎을 우려낸 차.
깔끔하고 상쾌한 맛이 특징입니다.
항산화 성분이 풍부하여 건강에도 좋습니다.
뜨겁게 또는 차갑게 즐길 수 있습니다.
디톡스 효과로 인기가 많습니다.

재료: 녹차 티백, 뜨거운 물
만드는 방법:
티백을 컵에 넣고 뜨거운 물을 붓습니다.
2-3분간 우려낸 후 티백을 제거합니다.
요리 꿀팁: 너무 뜨거운 물을 사용하면 녹차의 쓴맛이
강해질 수 있습니다.

페퍼민트 티

페퍼민트 잎을 우려낸 허브 차.
상쾌하고 시원한 맛이 특징입니다.
소화를 돕고 스트레스를 완화시켜줍니다.
무카페인으로 밤에도 즐길 수 있습니다.
여름철 시원하게 즐기기 좋습니다.

재료: 페퍼민트 티백, 뜨거운 물
만드는 방법:
티백을 컵에 넣고 뜨거운 물을 붓습니다.
3-5분간 우려낸 후 티백을 제거합니다.
요리 꿀팁: 시원하게 즐기고 싶다면, 우려낸 차를 냉장고에 넣어두세요.

캐모마일 티

캐모마일 꽃을 우려낸 허브 차.
부드럽고 달콤한 맛이 특징입니다.
스트레스 해소와 숙면에 도움이 됩니다.
따뜻하게 마시면 특히 좋습니다.
편안한 저녁 시간을 위한 차입니다.

재료: 캐모마일 티백, 뜨거운 물
만드는 방법:
티백을 컵에 넣고 뜨거운 물을 붓습니다.
5분간 우려낸 후 티백을 제거합니다.
요리 꿀팁: 잠자기 전에 마시면 숙면에 도움이 됩니다.

레몬 진저 티

레몬과 생강을 함께 우려낸 차.
상큼하고 매운 생강의 조화가 특징입니다.
면역력 강화와 소화에 도움을 줍니다.
꿀을 첨가하면 더욱 맛있습니다.
감기 예방에 좋은 메뉴입니다.

재료: 생강 조각, 레몬 슬라이스, 뜨거운 물, 꿀 (선택 사항)
만드는 방법:
컵에 생강 조각과 레몬 슬라이스를 넣습니다.
뜨거운 물을 붓고 5-10분간 우려냅니다.
꿀을 추가하여 맛을 조절합니다.
요리 꿀팁: 생강을 얇게 썰어야 빠르게 우러나옵니다.

히비스커스 티

붉은 색이 매력적인 히비스커스 꽃차.
상큼하고 약간의 신맛이 특징입니다.
비타민 C가 풍부하여 피로 회복에 좋습니다.
아이스로 즐기면 더욱 상쾌합니다.
피부 미용에도 도움을 줍니다.

재료: 히비스커스 꽃, 뜨거운 물
만드는 방법:
컵에 히비스커스 꽃을 넣고 뜨거운 물을 붓습니다.
5-10분간 우려낸 후 꽃을 제거합니다.
요리 꿀팁: 아이스로 마시면 더욱 상쾌한 맛을 즐길 수 있습니다.

루이보스 티

남아프리카 원산의 루이보스 잎으로 만든 차.
고소하고 달콤한 맛이 특징입니다.
카페인이 없어 밤에도 즐길 수 있습니다.
항산화 성분이 풍부합니다.
건강을 생각하는 이들에게 인기입니다.

재료: 루이보스 티백, 뜨거운 물
만드는 방법:
티백을 컵에 넣고 뜨거운 물을 붓습니다.
5-7분간 우려낸 후 티백을 제거합니다.
요리 꿀팁: 우유를 추가하여 루이보스 라떼로 즐길 수도 있습니다.

마차라떼

고운 녹차 가루를 우유와 함께 즐기는 음료.
부드럽고 크리미한 맛이 특징입니다.
건강에도 좋은 항산화 성분이 풍부합니다.
따뜻하게 또는 차갑게 즐길 수 있습니다.
달콤한 시럽을 추가하여 더 맛있게 즐길 수 있습니다.

재료: 녹차 가루, 우유, 뜨거운 물, 시럽 (선택 사항)
만드는 방법:
녹차 가루를 소량의 뜨거운 물에 녹입니다.
우유를 데워서 녹차에 추가합니다.
시럽을 추가하여 달게 즐깁니다.
요리 꿀팁: 거품기를 사용하여 우유를 더 부드럽게 만들어보세요.

잉글리시 브렉퍼스트 티

다양한 블랙 티 블렌드로 만든 전통적인 영국식 차.
강하고 풍부한 맛이 특징입니다.
우유와 설탕을 추가하여 즐기기 좋습니다.
아침 식사와 잘 어울립니다.
활력을 주는 차로 인기입니다.

재료: 잉글리시 브렉퍼스트 티백, 뜨거운 물, 우유, 설탕 (선택 사항)
만드는 방법:
티백을 컵에 넣고 뜨거운 물을 붓습니다.
4-5분간 우려낸 후 티백을 제거합니다.
우유와 설탕을 추가합니다.
요리 꿀팁: 강한 맛을 원한다면 티백을 조금 더 오래 우려내세요.

\<디저트 메뉴\>

티라미수

에스프레소에 적신 레이디핑거와 마스카포네 치즈 크림의 조합.
부드럽고 크리미한 질감이 매력적입니다.
코코아 가루를 뿌려 마무리합니다.
커피와 잘 어울리는 디저트입니다.
이탈리아의 대표적인 디저트로 인기입니다.

재료: 레이디핑거, 에스프레소, 마스카포네 치즈, 달걀, 설탕, 코코아 가루
만드는 방법:
레이디핑거를 에스프레소에 적십니다.
달걀 노른자와 설탕을 휘핑하여 크림 상태로 만듭니다.
마스카포네 치즈를 추가하여 섞습니다.
레이디핑거와 크림을 층층이 쌓아 올립니다.
냉장고에서 4시간 이상 냉각합니다.
코코아 가루를 뿌려 마무리합니다.
요리 꿀팁: 서빙 전에 코코아 가루를 뿌리면 더 신선한 맛을
유지할 수 있습니다.

치즈케이크

크리미한 치즈 필링과 바삭한 크러스트의 조화.
다양한 맛 변형이 가능합니다.
커피나 차와 잘 어울립니다.
부드러운 질감이 특징입니다.
디저트 타임에 빠질 수 없는 메뉴입니다.

재료: 크림치즈, 설탕, 달걀, 바닐라 추출물, 레몬즙, 그레이엄 크래커, 버터
만드는 방법:
그레이엄 크래커를 부수고 녹인 버터와 섞어 틀 바닥에 눌러 담습니다.
크림치즈와 설탕을 휘핑합니다.
달걀을 하나씩 넣어 섞습니다.
바닐라 추출물과 레몬즙을 추가합니다.
틀에 붓고 160도 오븐에서 50-60분 굽습니다.
완전히 식힌 후 냉장고에서 4시간 이상 냉각합니다.
요리 꿀팁: 치즈케이크를 굽는 동안 오븐에 물을 넣어주면
크랙을 방지할 수 있습니다.

초콜릿 브라우니

진한 초콜릿 맛이 일품인 브라우니.
겉은 바삭하고 속은 촉촉한 식감이 매력적입니다.
아이스크림과 함께 즐기면 더욱 맛있습니다.
커피와 궁합이 좋습니다.
달콤한 디저트를 좋아하는 이들에게 추천합니다.

재료: 초콜릿, 버터, 설탕, 달걀, 밀가루, 바닐라 추출물
만드는 방법:
초콜릿과 버터를 녹입니다.
설탕을 넣고 잘 섞습니다.
달걀을 하나씩 넣어 섞습니다.
밀가루와 바닐라 추출물을 추가합니다.
팬에 붓고 180도 오븐에서 25-30분 굽습니다.
요리 꿀팁: 브라우니는 과하게 굽지 않는 것이 중요합니다.
중심이 약간 촉촉할 때 오븐에서 꺼내야 합니다.

레몬 머랭 파이

상큼한 레몬 필링과 부드러운 머랭의 조화.
바삭한 파이 크러스트가 더해져 다양한 식감을 즐길 수 있습니다.
달콤하면서도 상큼한 맛이 특징입니다.
티타임에 잘 어울리는 디저트입니다.
특별한 날을 위한 메뉴로 좋습니다.

재료: 레몬, 설탕, 달걀, 콘스타치, 물, 파이 크러스트, 머랭(달걀 흰자, 설탕)
만드는 방법:
레몬 필링을 만듭니다: 레몬즙, 설탕, 달걀 노른자, 콘스타치,
물을 섞어 끓입니다.
파이 크러스트에 필링을 붓습니다.
머랭을 만듭니다: 달걀 흰자를 휘핑하여 설탕을 조금씩 추가합니다.
머랭을 파이 위에 얹습니다.
180도 오븐에서 10-15분 구워 머랭이 금빛이 될 때까지 굽습니다.
요리 꿀팁: 머랭을 파이 위에 올릴 때는 골고루 덮어
필링이 새어나오지 않도록 합니다.

크렘 브륄레

부드러운 커스터드와 바삭한 설탕 캐러멜 층의 조화.
표면을 캐러멜화하여 고소한 맛을 더했습니다.
부드러운 커스터드의 풍미가 일품입니다.
커피와 잘 어울리는 디저트입니다.
고급스러운 디저트를 원할 때 좋습니다.

재료: 생크림, 설탕, 달걀 노른자, 바닐라 빈, 설탕(토핑용)
만드는 방법:
생크림과 바닐라 빈을 끓입니다.
달걀 노른자와 설탕을 섞습니다.
뜨거운 생크림을 천천히 달걀 혼합물에 붓습니다.
혼합물을 라메킨에 붓고 150도 오븐에서
물을 채운 베인마리에 놓고 30-35분 굽습니다.
식힌 후 냉장고에서 2시간 이상 냉각합니다.
설탕을 뿌리고 브로일러로 캐러멜화합니다.
요리 꿀팁: 설탕을 얇게 고루 뿌려야 고르게 캐러멜화됩니다.

애플 파이

사과 필링과 바삭한 파이 크러스트의 조화.
시나몬 향이 더해져 더욱 풍부한 맛이 납니다.
따뜻하게 데워 아이스크림과 함께 즐기면 좋습니다.
전통적인 미국식 디저트로 인기입니다.
가을과 겨울에 특히 잘 어울립니다.

재료: 사과, 설탕, 시나몬, 버터, 밀가루, 파이 크러스트
만드는 방법:
사과를 얇게 썹니다.
설탕과 시나몬을 사과와 섞습니다.
파이 크러스트에 사과 혼합물을 넣고 버터 조각을 얹습니다.
상단 크러스트를 덮고 가장자리를 봉합합니다.
180도 오븐에서 45-50분 굽습니다.
요리 꿀팁: 사과 종류에 따라 단맛과 식감이 다르므로
여러 사과를 섞어 사용하면 더 풍부한 맛을 낼 수 있습니다.

팬케이크

부드럽고 포근한 팬케이크에 다양한 토핑을 더해 즐깁니다.
메이플 시럽, 버터, 과일 등으로 맛을 더할 수 있습니다.
아침 식사나 브런치로 인기입니다.
간단하면서도 맛있는 디저트입니다.
가족과 함께 즐기기 좋습니다.

재료: 밀가루, 우유, 달걀, 설탕, 베이킹 파우더, 소금, 버터
만드는 방법:
밀가루, 설탕, 베이킹 파우더, 소금을 섞습니다.
우유와 달걀을 혼합한 후 마른 재료에 추가합니다.
녹인 버터를 섞습니다.
팬에 반죽을 붓고 양면을 황금색이 될 때까지 굽습니다.
요리 꿀팁: 반죽을 섞을 때 과하게 섞지 않도록 주의하세요.
덩어리가 조금 남아 있어도 괜찮습니다.

마카롱

아몬드 가루로 만든 바삭하고 부드러운 디저트.
다양한 색상과 맛으로 즐길 수 있습니다.
커피나 차와 함께 하면 더욱 좋습니다.
작고 귀여운 크기로 선물용으로도 인기입니다.
프랑스의 대표적인 디저트입니다.

재료: 아몬드 가루, 슈가 파우더, 달걀 흰자, 설탕, 색소(선택사항)
만드는 방법:
아몬드 가루와 슈가 파우더를 체로 걸러 섞습니다.
달걀 흰자를 휘핑하여 설탕을 조금씩 추가합니다.
아몬드 가루 혼합물을 달걀 흰자에 섞습니다.
색소를 추가하여 원하는 색을 만듭니다.
반죽을 짤주머니에 넣고 실리콘 매트에 동그랗게 짭니다.
140도 오븐에서 15-18분 굽습니다.
요리 꿀팁: 반죽을 팬에 짜기 전에 충분히 휴지시켜
표면이 건조해지도록 합니다.

파블로바

바삭한 머랭과 부드러운 크림, 신선한 과일의 조화.
달콤하면서도 상큼한 맛이 특징입니다.
디저트의 풍미를 한층 높여줍니다.
특별한 날을 위한 디저트로 좋습니다.
다양한 과일로 맛과 색감을 더할 수 있습니다.

재료: 달걀 흰자, 설탕, 식초, 옥수수 전분, 휘핑크림, 신선한 과일
만드는 방법:
달걀 흰자를 휘핑하여 설탕을 조금씩 추가합니다.
식초와 옥수수 전분을 섞어 휘핑합니다.
혼합물을 오븐용 팬에 원형으로 펴고 120도 오븐에서 1시간 굽습니다.
식힌 후 휘핑크림과 신선한 과일을 올립니다.
요리 꿀팁: 머랭을 굽는 동안 오븐 문을 열지 않도록 주의하세요.
낮은 온도에서 천천히 굽는 것이 중요합니다.

초콜릿 무스

부드럽고 크리미한 초콜릿 디저트.
진한 초콜릿 맛이 일품입니다.
휘핑크림과 함께 즐기면 더욱 좋습니다.
커피와 잘 어울립니다.
달콤한 디저트를 좋아하는 이들에게 추천합니다.

재료: 초콜릿, 달걀, 설탕, 생크림
만드는 방법:
초콜릿을 중탕으로 녹입니다.
달걀 노른자와 설탕을 휘핑하여 크림 상태로 만듭니다.
녹인 초콜릿을 혼합합니다.
생크림을 휘핑하여 섞습니다.
달걀 흰자를 휘핑하여 섞습니다.
컵에 담아 냉장고에서 2시간 이상 냉각합니다.
요리 꿀팁: 무스를 섞을 때는 거품이 꺼지지 않도록
부드럽게 섞어야 합니다.

<간식 메뉴>

크루아상

바삭한 페이스트리로, 버터의 풍미가 일품입니다.
아침 식사나 간식으로 인기입니다.
커피와 잘 어울립니다.
샌드위치로도 즐길 수 있습니다.
프랑스의 대표적인 베이커리입니다.

재료: 밀가루, 버터, 설탕, 소금, 우유, 이스트
만드는 방법:
밀가루, 설탕, 소금, 이스트를 섞어 반죽을 만듭니다.
반죽을 굽고 냉장고에서 1시간 휴지시킵니다.
버터를 반죽에 여러 층으로 접어가며 넣습니다.
냉장고에서 30분 휴지시키고 다시 접는 과정을 반복합니다.
반죽을 얇게 펴고 삼각형으로 잘라 말아줍니다.
180도 오븐에서 20-25분 굽습니다.
요리 꿀팁: 반죽을 접을 때 버터가 녹지 않도록
빠르게 작업하는 것이 중요합니다.

베이글

쫄깃한 식감이 매력적인 둥근 빵.
크림치즈, 연어 등 다양한 토핑과 함께 즐길 수 있습니다.
아침 식사나 간식으로 좋습니다.
커피나 차와 잘 어울립니다.
건강한 간식으로 인기입니다.

재료: 밀가루, 물, 이스트, 소금, 설탕
만드는 방법:
밀가루, 이스트, 소금, 설탕을 섞어 반죽을 만듭니다.
반죽을 1시간 발효시킵니다.
반죽을 둥글게 만들어 10분간 휴지시킵니다.
반죽을 끓는 물에 1분씩 데칩니다.
220도 오븐에서 15-20분 굽습니다.
요리 꿀팁: 물에 데칠 때 물에 약간의 설탕을 넣으면
베이글에 윤기와 색감을 더할 수 있습니다.

머핀

촉촉한 식감이 일품인 작은 케이크.
블루베리, 초콜릿, 바나나 등 다양한 맛이 있습니다.
아침 식사나 간식으로 좋습니다.
커피나 차와 잘 어울립니다.
간단하면서도 맛있는 간식입니다.

재료: 밀가루, 설탕, 베이킹 파우더, 우유, 달걀, 버터,
블루베리 또는 초콜릿 칩
만드는 방법:
밀가루, 설탕, 베이킹 파우더를 섞습니다.
우유, 달걀, 녹인 버터를 섞어 마른 재료에 추가합니다.
블루베리나 초콜릿 칩을 섞습니다.
머핀 틀에 반죽을 넣고 180도 오븐에서 20-25분 굽습니다.
요리 꿀팁: 머핀 반죽을 너무 많이 섞지 않도록 주의하세요.
덩어리가 조금 남아도 괜찮습니다.

스콘

바삭하고 부드러운 식감이 매력적인 빵.
잼이나 크림과 함께 즐길 수 있습니다.
아침 식사나 오후 티타임에 잘 어울립니다.
다양한 맛 변형이 가능합니다.
영국식 티타임의 대표적인 간식입니다.

재료: 밀가루, 베이킹 파우더, 설탕, 버터, 우유, 달걀
만드는 방법:
밀가루, 베이킹 파우더, 설탕을 섞습니다.
차가운 버터를 잘라 넣고 반죽이 고슬고슬할 때까지 섞습니다.
우유와 달걀을 섞어 반죽에 추가합니다.
반죽을 펼쳐 원하는 모양으로 자릅니다.
200도 오븐에서 15-20분 굽습니다.
요리 꿀팁: 반죽을 다루는 동안 버터가 녹지 않도록
차갑게 유지하세요.

도넛

달콤한 설탕이나 초콜릿으로 덮인 둥근 빵.
다양한 맛과 토핑으로 즐길 수 있습니다.
커피와 잘 어울립니다.
아이들에게도 인기 있는 간식입니다.
간단하면서도 맛있는 디저트입니다.

재료: 밀가루, 설탕, 우유, 달걀, 버터, 이스트
만드는 방법:
밀가루, 설탕, 이스트를 섞어 반죽을 만듭니다.
우유와 달걀을 추가하여 섞습니다.
반죽을 1시간 발효시킵니다.
반죽을 펼쳐 원형으로 자릅니다.
180도 기름에 튀깁니다.
설탕이나 초콜릿으로 덮어 장식합니다.
요리 꿀팁: 도넛을 튀길 때는 기름 온도를 일정하게
유지하는 것이 중요합니다.

프레첼

짭짤한 맛이 매력적인 비틀린 모양의 빵.
소금과 버터의 조화가 일품입니다.
간단한 간식으로 좋습니다.
커피나 맥주와 잘 어울립니다.
다양한 소스와 함께 즐길 수 있습니다.

재료: 밀가루, 물, 이스트, 소금, 설탕, 베이킹 소다
만드는 방법:
밀가루, 이스트, 소금, 설탕을 섞어 반죽을 만듭니다.
반죽을 1시간 발효시킵니다.
반죽을 길게 말아 꼬아 프레첼 모양을 만듭니다.
끓는 물에 베이킹 소다를 넣고 반죽을 데칩니다.
220도 오븐에서 15분 굽습니다.
요리 꿀팁: 프레첼을 데칠 때 베이킹 소다를 사용하면
특유의 맛과 색감을 더할 수 있습니다.

그라놀라 바

건강한 곡물과 견과류, 꿀로 만든 간식.
바쁜 아침이나 간편한 간식으로 좋습니다.
에너지를 충전해줍니다.
커피나 차와 잘 어울립니다.
건강한 라이프스타일을 위한 간식입니다.

재료: 귀리, 견과류, 꿀, 버터, 말린 과일
만드는 방법:
귀리와 견과류를 토스트합니다.
꿀과 버터를 녹여 섞습니다.
귀리 혼합물에 꿀 혼합물을 섞어 팬에 평평하게 폅니다.
냉장고에서 2시간 이상 냉각합니다.
적당한 크기로 잘라서 보관합니다.
요리 꿀팁: 꿀 대신 메이플 시럽이나 아가베 시럽을
사용해도 좋습니다.

에그 타르트

바삭한 타르트 크러스트와 부드러운 커스터드의 조화.
달콤하면서도 고소한 맛이 특징입니다.
커피나 차와 잘 어울립니다.
디저트 타임에 좋습니다.
간단하면서도 맛있는 메뉴입니다.

재료: 밀가루, 버터, 설탕, 달걀, 우유, 생크림
만드는 방법:
밀가루와 버터를 섞어 반죽을 만듭니다.
반죽을 틀에 폅니다.
달걀, 설탕, 우유, 생크림을 섞어 필링을 만듭니다.
필링을 반죽에 붓고 180도 오븐에서 20-25분 굽습니다.
요리 꿀팁: 필링을 체에 걸러 부드럽게 만든 후
반죽에 붓는 것이 좋습니다.

크렘 카라멜

부드러운 커스터드와 쌉싸름한 카라멜 소스의 조화.
달콤하고 크리미한 식감이 매력적입니다.
커피나 차와 잘 어울립니다.
특별한 날을 위한 디저트로 좋습니다.
간단하면서도 고급스러운 맛입니다.

재료: 설탕, 물, 생크림, 우유, 달걀, 바닐라 추출물
만드는 방법:
설탕과 물을 끓여 카라멜을 만듭니다.
카라멜을 틀에 붓습니다.
생크림과 우유를 끓입니다.
달걀과 설탕을 섞어 생크림 혼합물에 추가합니다.
혼합물을 틀에 붓고 150도 오븐에서 물을 채운
베인마리에 놓고 30-35분 굽습니다.
식힌 후 냉장고에서 2시간 이상 냉각합니다.
요리 꿀팁: 카라멜을 끓일 때는 저어주지 않고
고르게 색이 변하도록 주의하세요.

페이스트리

바삭한 페이스트리로 다양한 필링을 즐길 수 있습니다.
사과, 크림치즈, 초콜릿 등 다양한 맛이 있습니다.
커피나 차와 잘 어울립니다.
간단한 간식으로 좋습니다.
다양한 종류로 선택의 폭이 넓습니다.

재료: 밀가루, 버터, 설탕, 소금, 물,
다양한 필링(사과, 크림치즈, 초콜릿 등)
만드는 방법:
밀가루, 설탕, 소금을 섞어 반죽을 만듭니다.
버터를 여러 층으로 접어가며 넣습니다.
반죽을 펼쳐 다양한 필링을 넣고 모양을 만듭니다.
180도 오븐에서 20-25분 굽습니다.
요리 꿀팁: 반죽을 펼칠 때 버터가 녹지 않도록 차갑게 유지하세요.

<스페셜 메뉴>

라벤더 라떼

에스프레소와 라벤더 시럽의 조화로운 맛.
부드럽고 향긋한 라벤더 향이 특징입니다.
우유의 크리미함이 더해져 매력적입니다.
특별한 날을 위한 메뉴로 좋습니다.
마음을 진정시키는 효과가 있습니다.

재료: 에스프레소, 우유, 라벤더 시럽
만드는 방법:
에스프레소를 준비합니다.
우유를 스팀하여 거품을 만듭니다.
라벤더 시럽을 컵에 붓고 에스프레소와 스팀 밀크를 추가합니다.
거품을 얹어 마무리합니다.
요리 꿀팁: 라벤더 시럽은 집에서 만들 수 있으며,
라벤더 꽃을 설탕 시럽에 끓여 만들 수 있습니다.

호박 스파이스 라떼

에스프레소와 호박 스파이스 시럽의 조합.
가을에 어울리는 따뜻하고 향긋한 맛이 특징입니다.
휘핑크림과 시나몬 가루로 마무리합니다.
커피와 잘 어울리는 계절 메뉴입니다.
특별한 날을 위한 음료로 좋습니다.

재료: 에스프레소, 호박 퓌레, 호박 스파이스 시럽, 우유, 시나몬 가루
만드는 방법:
에스프레소를 준비합니다.
호박 퓌레와 호박 스파이스 시럽을 컵에 넣습니다.
스팀 밀크를 추가합니다.
시나몬 가루로 마무리합니다.
요리 꿀팁: 호박 스파이스 시럽은 시나몬, 너트메그, 정향,
생강을 섞어 만듭니다.

콜드 브루 라떼

콜드 브루와 우유의 부드러운 조화.
시원하게 즐길 수 있는 커피 메뉴입니다.
부드럽고 깔끔한 맛이 특징입니다.
더운 날에 잘 어울립니다.
간단한 간식과 함께 즐기기 좋습니다.

재료: 콜드 브루 커피, 우유, 얼음
만드는 방법:
콜드 브루 커피를 준비합니다.
컵에 얼음을 넣고 콜드 브루 커피를 붓습니다.
우유를 추가합니다.
요리 꿀팁: 콜드 브루 커피는 찬물에 커피 가루를 넣고
12시간 동안 우려내어 만듭니다.

캐러멜 마키아토

에스프레소와 캐러멜 시럽, 우유의 조합.
달콤하면서도 진한 커피 맛이 특징입니다.
휘핑크림과 캐러멜 소스로 마무리합니다.
커피와 잘 어울리는 디저트 메뉴입니다.
특별한 날을 위한 음료로 좋습니다.

재료: 에스프레소, 캐러멜 시럽, 우유, 휘핑크림, 캐러멜 소스
만드는 방법:
에스프레소를 준비합니다.
컵에 캐러멜 시럽을 넣습니다.
스팀 밀크를 추가하고 에스프레소를 붓습니다.
휘핑크림과 캐러멜 소스로 마무리합니다.
요리 꿀팁: 캐러멜 시럽을 직접 만들어 사용할 수 있으며,
설탕과 물을 끓여 캐러멜화하면 됩니다.

코코넛 밀크 라떼

에스프레소와 코코넛 밀크의 조화.
부드럽고 고소한 맛이 특징입니다.
비건 옵션으로도 인기입니다.
커피와 잘 어울리는 메뉴입니다.
간단한 간식과 함께 즐기기 좋습니다.

재료: 에스프레소, 코코넛 밀크, 코코넛 시럽
만드는 방법:
에스프레소를 준비합니다.
컵에 코코넛 시럽을 넣고 에스프레소를 붓습니다.
스팀한 코코넛 밀크를 추가합니다.
요리 꿀팁: 코코넛 밀크 대신 아몬드 밀크나 오트 밀크를
사용해도 좋습니다.

아이스드 라떼

에스프레소와 차가운 우유의 조합.
시원하게 즐길 수 있는 커피 메뉴입니다.
부드럽고 크리미한 맛이 특징입니다.
더운 날에 잘 어울립니다.
다양한 시럽으로 맛을 더할 수 있습니다.

재료: 에스프레소, 차가운 우유, 얼음
만드는 방법:
에스프레소를 준비합니다.
컵에 얼음을 넣고 에스프레소를 붓습니다.
차가운 우유를 추가합니다.
요리 꿀팁: 다양한 시럽을 추가하여 맛을 변형할 수 있습니다.

아이스 초콜릿

진한 초콜릿과 차가운 우유의 조합.
시원하고 달콤한 맛이 특징입니다.
휘핑크림과 초콜릿 시럽으로 마무리합니다.
더운 날에 잘 어울리는 디저트 음료입니다.
간단한 간식과 함께 즐기기 좋습니다.

재료: 초콜릿 시럽, 우유, 얼음, 휘핑크림
만드는 방법:
컵에 초콜릿 시럽을 넣습니다.
차가운 우유를 붓고 얼음을 추가합니다.
휘핑크림으로 마무리합니다.
요리 꿀팁: 다크 초콜릿 시럽을 사용하면 더욱 진한 맛을
즐길 수 있습니다.

스무디

신선한 과일과 요거트의 조합으로 만든 음료.
건강하고 상큼한 맛이 특징입니다.
다양한 과일을 선택할 수 있습니다.
아침 식사나 간식으로 좋습니다.
커피 대신 즐기기 좋은 메뉴입니다.

재료: 신선한 과일(딸기, 바나나 등), 요거트, 꿀, 얼음
만드는 방법:
과일과 요거트, 꿀, 얼음을 믹서에 넣고 갈아줍니다.
컵에 담아 바로 마십니다.
요리 꿀팁: 다양한 과일을 조합하여 색다른 맛을 시도해보세요.

밀크셰이크

아이스크림과 우유, 시럽을 블렌딩한 음료.
부드럽고 달콤한 맛이 특징입니다.
휘핑크림과 다양한 토핑으로 즐길 수 있습니다.
더운 날 시원하게 즐기기 좋습니다.
아이들에게도 인기 있는 메뉴입니다.

재료: 아이스크림, 우유, 시럽(초콜릿, 바닐라 등)
만드는 방법:
아이스크림, 우유, 시럽을 믹서에 넣고 섞습니다.
컵에 담고 휘핑크림과 토핑을 추가합니다.
요리 꿀팁: 밀크셰이크에 쿠키나 초콜릿 칩을 추가하여
더욱 풍부한 맛을 즐길 수 있습니다.

차가운 그린티 라떼

녹차 가루와 차가운 우유의 조화.
시원하고 건강한 맛이 특징입니다.
간단한 시럽으로 단맛을 더할 수 있습니다.
더운 날에 잘 어울립니다.
간단한 간식과 함께 즐기기 좋습니다.

재료: 녹차 가루, 차가운 우유, 시럽, 얼음
만드는 방법:
녹차 가루와 시럽을 컵에 넣고 차가운 우유를 붓습니다.
얼음을 추가하여 시원하게 즐깁니다.
요리 꿀팁: 녹차 가루는 잘 녹지 않으므로
미리 소량의 물로 풀어준 후 사용하는 것이 좋습니다.

아이스드 티

차가운 홍차에 레몬이나 민트 등을 더한 음료.
상큼하고 시원한 맛이 특징입니다.
더운 날에 잘 어울립니다.
간단한 간식과 함께 즐기기 좋습니다.
다양한 맛 변형이 가능합니다.

재료: 홍차 티백, 물, 레몬, 민트, 얼음
만드는 방법:
티백을 뜨거운 물에 우려 홍차를 만듭니다.
홍차를 식힌 후 얼음을 추가합니다.
레몬과 민트를 추가하여 맛을 더합니다.
요리 꿀팁: 아이스드 티에 꿀이나 시럽을 추가하여
단맛을 더할 수 있습니다.

베리 믹스 스무디

블루베리, 라즈베리 등 다양한 베리와 요거트의 조합.
상큼하고 건강한 맛이 특징입니다.
아침 식사나 간식으로 좋습니다.
더운 날 시원하게 즐기기 좋습니다.
커피 대신 즐기기 좋은 메뉴입니다.

재료: 블루베리, 라즈베리, 딸기, 요거트, 꿀, 얼음
만드는 방법:
모든 재료를 믹서에 넣고 갈아줍니다.
컵에 담아 바로 마십니다.
요리 꿀팁: 베리류는 냉동 베리를 사용하면
더욱 시원하고 진한 맛을 즐길 수 있습니다.

레몬에이드

신선한 레몬과 시럽을 섞은 음료.
상큼하고 시원한 맛이 특징입니다.
더운 날에 잘 어울립니다.
간단한 간식과 함께 즐기기 좋습니다.
다양한 과일을 추가하여 즐길 수 있습니다.

재료: 신선한 레몬, 시럽, 물, 얼음
만드는 방법:
레몬을 짜서 주스를 만듭니다.
레몬 주스와 시럽을 섞어 물을 추가합니다.
얼음을 추가하여 시원하게 즐깁니다.
요리 꿀팁: 레몬에이드에 민트 잎을 추가하면
더욱 상큼한 맛을 즐길 수 있습니다.

커피 향이 퍼지는 그 곳은 우리의 작은 행복의 시작이다.

감사합니다!

딜리셔스 카페 일러스트북

발 행 | 2024년 6월 5일
저 자 | 정유영
펴낸이 | 한건희
펴낸곳 | 주식회사 부크크
출판사등록 | 2014.07.15.(제2014-16호)
주 소 | 서울특별시 금천구 가산디지털1로 119
SK트윈타워 A동 305호
전 화 | 1670-8316
이메일 | INFO@BOOKK.CO.KR
ISBN | 979-11-410-8808-8
WWW.BOOKK.CO.KR